KB062535

다시 사람에게 묻다

b판시선 63

변경섭 시집

다시 사람에게 묻다

도서출판 b

산속에 살며
사람에 대하여 생각해 봅니다.
사람을 둘러싸고 있는 자연에 대하여 생각해 봅니다.
나에 대하여 생각해 봅니다.
세상은 흐르고 변해갑니다.
삶이 그 속에 있습니다.
결국 또 사람입니다.

늘 내게 사랑만 주던
아버지, 어머니
그리고 나의 형제자매, 가족들에게
이번에는 내가 사랑한다고 전하고 싶네요.

| 차 례 |

제1부

자연의 소리를 들을 때

숲에 들어가 가만히 자연의 소리를 들은 적이 있는가?
내가 발을 움직여 발소리를 낼 때도
아니면 누군가에게 말을 건네어 말소리가 숲속을 울릴
때도
동고비나 방울새 소리는 들을 수 없고
나뭇잎이 바람과 나누는 이야기 소리도 들을 수 없고
화경버섯이 빛을 내뿜으며 깔깔 웃는 소리도 들을 수
없고
풀잎이나 참나무 가지 위를 기어가는 풀무치
또는 사슴벌레 소리는 더욱 들을 수 없고
나무의 수관을 오르는 생명의 소리는
나무를 껴안고 가만히 귀를 대야 겨우 들을 수 있으니
네가 잠시 발을 멈추고, 말을 멈추어
너의 넘치는 생각마저도 잠시 내려놓아 고요해지면
새소리, 바람 소리, 벌레의 소리,
뭇 생명이 움직이고, 웃고, 말 거는 소리 비로소 들리나니
자기를 고요함 속에 둘 때 남의 소리 들을 수 있듯이
사람은 자기 스스로 겸손해질 때

남의 존귀함을 알게 되느니

숲에 들어가면 인간임을 버리고 자연에 귀의하라

족도리풀꽃

숲속 큰 나무들 밑
낙엽 더미 살짝 들어 올려
부끄러운 듯이
고개 숙여 피는 꽃

무릎 꿇고 앉아 고개 숙여
낙엽 더미 살짝 들어 올려
자세히 살펴야
볼 수 있는 꽃

나도
족도리풀꽃도
고개 숙여야 서로
알아볼 수 있는 것

비로소 존재의 의미를
서로 인정하는 것

해쑥 향기

봄에 해쑥을 뜯어다가
된장 풀어서 끓인
쑥국에서 나는 쑥향

먼 우주에서 날아와 봄밤 하늘 희미하게 밝히는 시원始源의
별빛

살아서 봄 숲에 아우성치며 돌아오는 모든 나무의 연둣빛
물결

조팝나무의 꽃이 봄바람에 흐느적거려도 다시 서는 용기
를 배우는 그 의연함

세상에 태어나는 갓난아이 울음소리에 기쁨의 눈물 흘리
는 사람의 마음

어느 청년이 세상의 일에 대해 의문 갖기 시작할 때 조용히
응원해주는 미소

봄 해쑥 향기는
모든 것의 조용한 시작을 알리는
신호 같은 것이다

꽃이 지는 건

한
꽃이
피었다
지는 것은
이 세상에 나서
온 힘 다해 꽃 피우고 마지막
추醜한 꽃잎으로 하늘에 고하는 것
꽃잎 하나하나, 때로는 한순간에
통째로 땅에 떨어져 낯선 듯
익숙한 기억을 남겨두고
바람처럼 떠가는 것은
짐 진 자 비로소
자유를 얻은
떨리는
몸짓

그리고 대신 남기는 것
또 다른 고통의 시작

씨앗들에게

풀과 마음

풀,

손에 움켜쥐고 뽑을 때마다

뽑힐 대상이

풀인가

내 속에 웅크린

녹슨

마음인가

인동초가 살아가는 법

겨울에도 푸른 잎 버리지 않고 이겨낸다는 인동초
인동초는 덩굴식물이니 나무나 버팀목이 있어야
감고 타고 올라갑니다
혼자는 스스로 몸을 지탱할 수 없으니
내가 다 늦게 목발에 의지해야 걸을 수 있는 것처럼
산 것이든 죽은 것이든 남을 의지해 붙들고라도 올라가야
햇볕 받을 수 있는 곳에 도달합니다
인동초는 남을 의지해도
미안한 표정도 짓지 않습니다
나는 남에게 한마디 아쉬운 소리 하지 못하니
그 두꺼운 낯바닥이 부러울 수밖에 없습니다
타고 올라갈 버팀목이 없을 때는 어찌할까요?
그들은 허공에서 손잡을 타인이 없을 때는
누가 먼저랄 것 없이 제 몸을 내줍니다
서로 붙잡고 힘이 되어 감고 올라가는 것이지요
인동초는 누가 가르쳐주지 않아도 서로 힘을 합하면
살아남을 수 있다는 것을 아는 겁니다
내 심어 가꾼 인동초가 말없이 가르쳐줍니다

창밖을 보다가 언뜻

창밖을 보다가 언뜻
이름 모를 새가 눈 깜작할 새에
유성처럼 화면에서 사라진다
깃털 색깔도 보여주지 않았다

내가 창밖으로 날아가는 새를 보고
그의 생애를 단 한 컷도 생각 못 하듯이
관심 없는 남의 눈으로 볼 때는
나를 보는 누군가도 슬쩍 눈에 띄는
그 순간만의 내 인생을 볼 것이다

찰나의 순간만을 보고
그를 보았다 말하지 말라
창밖의 새와 같은 인연 말하지 말라
그를 보았다고 말하려거든
그래도 그의 손을 잡아보고 말하라
그의 눈을 한 번쯤 들여다보고서 말하라

그러면 그는 외로이 죽지 않았을 것이다

향기

내 집 안팎에 고광나무 몇 그루 심었는데
오뉴월이 되니 저 혼자 마당 구석에 서서
온 마당에 꽃향기 은은히 뿌리는구나!

꽃향기는 그 존재만으로 벌과 나비를 부르고
웃는 꽃이 보는 사람도 위로하는데
사람은 존재만으로 향기를 풍기지 않는다
사람의 향기는 관계의 작용
먼저 다가가 그의 말을 들어주는 것
옆에 서서 그냥 지켜봐 주는 것
그러다 마음이 아프다고 하면
알게 모르게 슬쩍 안아주는 것
사람의 향기는 따뜻한 가슴속에서 풍긴다
그러면 그 향기가 사람을 부르고 위로한다

꽃향기는 고작 마당을 채우지만
사람의 향기는 마을을 넘어 세상에 퍼진다

피고 지고

금은화
피고 지고, 피고 지고
피고 지고
땅 위에 꽃들의 잔해

숨 쉬는 꽃잎 사이 사이
잉잉 꿀벌들 나는 소리
바쁘고, 바쁘고
바쁘고

삶과 죽음은 언제나
한 공간에서 벌어지는
야단법석 잔치!
그리고 또 엄숙히 이어지는 것

앉은 자리

사람이 앉아서
풀썩이며 생활했던 자리에는
머리카락이며 티끌, 먼지 등속이 떨어지고
사람 자취 얼룩으로
어지럽혀집니다

마음에 낀 때처럼
부끄러움 지우듯이 비질하고
걸레질까지 하며 닦아보지만
그 자리 다시 더럽혀집니다

꽃 피는
식물이 머물던 곳에는
꽃잎 떨어지고
씨가 떨어집니다

이듬해 봄에는
그 자리에서

새싹이 돋아나지요

사람은 끊임없이 거울 닦듯
닦아내야 하는 법,
그래서 풀과 다른 운명입니다

무제 無題

눈
하얗게 덮인 숲속
아직도 눈은 펄펄 흩날리고

까마귀 한 마리
헐벗은 나뭇가지에서 훌쩍
눈 오는 하늘 속으로
날아올라
까마득히 먼 곳에
펄럭이는 검은 점 되었다

이윽고 점 하나도
하늘 속으로 사라졌다

나는 눈밭에 서서
다만 서성거리고 있을 뿐

눈 속의 나도

사라진 점 까마귀가 바라보면
하나의 점이 되어 있을까?

그 점
그리움이었으면

敬 경

사람이 物 물을 아끼고
사람을 사랑하면
하늘을 공경하는 것은
자명한 이치다*

무더운 여름날 참나무
그늘에서 더위를 피하다가
고마운 마음에
나무를 안아줬다

나무를 안고 이파리 사이 하늘을 보다가
내 마음이 푸른 꿈꾸는 하늘처럼 고요해져서
세상 속에서 가져온 慾 욕을 하나씩 덜어내고
나를 가만히 들여다보니 한층 자유로워져 있었다

* 해월 선생의 三敬思想을 뒤집어 생각해 보았다.

점

점(·)
시작이면서 끝이다
시작과 끝 사이는 삶고
시작이 있으면 끝은 반드시 온다
사람의 삶이
그렇다

점
시작과 끝을
생각하며 살면
삶이 숙연해지고
삶는 편안해지니
마음은 거칠 것이
없다

잡초

밭고랑에
끈끈이대나물 꽃씨 날아들어
싹 트고 자라 꽃이 피는데
나는 잡초라고 뽑아버리려 하니
꽃도 제자리에 피지 못하면
잡초가 되는가?

사람의 생각도
마음의 중심에 있지 못하면
비워야 할 번뇌라고 한다

잡초나 번뇌도
자기 이름과 실질이 있지만
있을 자리에 있지 않거나
중심에서 멀어지면
잊히고 배제된다

사람이 행하는

아주 쉬운 사고방식이다

숲처럼

벗이여!
숲속에 들어가서 고요히 앉아 하늘을 보라
거기 하늘을 가린 큰 나무들 사이로
푸른 하늘 좁은 강물* 흐르고 있지 아니한가

나무는 가지를 뻗어도
서로 침범하지 않고 배려하며 산다
힘이 있다고 가지 뻗어 덮어버리지 않고
힘 있으면 있는 대로, 없으면 없는 대로
서로 거리를 유지하니 나무와 나무 사이
말 없는 평화의 길이 생기는 것이다

숲은 보이지 않는 바람길을 만들고
오직 바람을 통하여 말을 하니
그 길 사이에 바람이 일 때 숲은 깨어난다
바람이 지나가며 일깨운다
배려하는 삶이 지혜로운 것이라고

숲속의 나무들처럼 살면
사람의 삶도 저절로 평화로울 것이니
나무가 말하는 것에 조용히 귀 기울여 보라
벗이여, 숲처럼 살아보고 싶지 아니한가!

* 수관 기피 현상: 수관기피는 각 나무들의 가장 윗부분인 수관(crown)이 마치 수줍어하듯 (shyness) 서로 닿지 않고 자라는 현상을 말한다.

제2부

풀잎에 베인 상처

풀잎에 상처 입을 때가 있다
풀잎도 때로는 칼날이 된다

텃밭에서 맨손으로 풀을 뽑다가
풀잎에 살짝 베인 상처가 아프다

가녀린 풀잎이 준 상처
예상치 못한 공격이라 더 아프다

풀잎에 베인 손가락 상처 바라보다
마음을 베인 상처는 얼마나 더 아플까?

나는 누구에게 말 한마디로도
상처 주며 살았는지 생각해 본다

그는 시간이 지나도
낫지 않는 상처로 아파했을지 모른다

풀잎에 상처 입을 때처럼
말 한마디로 마음을 다칠 때가 있다

어느 발자국

마당의 눈을 치우다 숲속으로
들어간 가지런한 발자국 발견하고는
무슨 짐승의 발자국인지 알 수 없지만
나는 발자국을 따라 눈길을 옮겨
눈 덮인 숲을 바라본다
숲으로 난 발자국은 어쩌면
내가 걸어온 발자국
언젠가 걸어 들어갈 발자국
말 걸 사람도 없는
그야말로 고요만 있는 숲속에서
미동도 없이 누워 있을 자리 그
방향을 알려주는 발자국이라고 생각했다
발자국은 하루도 지나지 않아
흔적도 없이 사라질 것을 알지만
그래도 끊임없이 남기는 것, 다만
그 발자국 돌아보며 성찰할 수 있기를

걷다가

나는 요즘 집에서 나와
규칙적으로 하천 제방길을 걷는다

목발 두 개와 두 발
목발이 앞서면 두 발이 뒤따른다

점점 두 다리에 힘이 빠져 걷는 것조차 힘들어지니
다리에 힘 기르기 위해 안간힘 쓰며 걷는다

걷다가 길 위에 자갈이 있으면
넘어지지 않기 위해 피하여 걷는다

걷다가 개미나 이름 모를 곤충을 만나면
다치지 않도록 피하여 걷는다

개미도 알았다는 듯이 멈칫 발걸음 멈췄다가
내가 한 발짝 비켜 가면 그제야 움직인다

이리저리 땅바닥을 살펴 피할 것 피하여 걷고
멈춰 서 기다려주다 제 갈 길 가는 것은

나도 개미도 살아 있는 존재
서로 살아 있는 것에 대한 존중 때문이다

빗소리

비 오는 소리 오랫동안 듣지 못했네
아파트 시멘트벽 속에 갇혀 있기도 했고 삶이
빗소리에 귀 기울일 여유가 없었는지 모르지
뭐 이룰 게 있다고 애면글면 살다가
문득 부질없다 느껴 훌쩍 떠나버렸네
언제든 찾아도 반갑게 받아줄 곳
마음의 안락과 여유가 있는 곳
이제 나무와 풀과 새와 함께 사니
내 귀가 다시 열렸네
내 어릴 적 처마 밑에서
낙숫물 소리 귀 기울이던 마음으로 돌아가니
이슬비 오는 소리
보슬비 오는 소리
소나기 소리
천둥 치며 폭우 쏟는 소리
모두 다 말 걸어오네
손에 움켜쥘수록 손에 쥔 것에 마음 빼앗겨
오시는 빗소리 듣지 못하리

아이 같은 마음으로 돌아가지 못하면
잔잔하다가 때로는 심술 사나운 빗소리와
영원히 이야기 나누지 못하리

사람의 눈

인동초 심어
덩굴 올리니 그늘을 주네

인동초 그늘 아래에서 따가운 햇볕 피하다가
향긋한 내음 솔솔 풍겨 찾아보니
눈앞에 보이지 않던 금은화가
저편 그늘 바깥 양짓녘에 피었음을 안다네

사람의 눈은 이편에 보이는 것만 보고
저편에 있는 것을 보지 못하다
풍기는 향기에 끌려 비로소
저편에 꽃이 피었음을 아니
사람의 눈은 외눈박이 같은 것

상상하고, 희망하고,
열어 놓고 들여다봐야
저편의 금은화도 보이는 것이니
금은화 향기는 마음의 눈 이어주는

가느다란 비단 끈이라네

안녕!

한겨울에 내 집에 들어온 나방

어찌 추운 이 계절까지 살아남아 내 집에 들어왔을까?

문을 열어 놓으니 이 추위에

얼어 죽을까 걱정하기도 전에 밖으로 훌쩍 날아가 버렸다

화살나무는 활시위를 떠났다

인생도 그렇게 시작된다

떠난 화살이 어찌 끝을 두려워하겠는가

과녁에 꽂히든, 땅에 떨어지든

최선을 다해서 날아가면 그뿐

그리고 모두에게

안녕!

나목裸木

겨울 한파에 밖에 나가
가만히 숲을 보니 나무들
모두 옷을 벗어버리고 섰구나

몰아닥친 칼바람에
나는 구석에 처박혀 있던 옷까지 꺼내
온몸을 가리고 나와 섰어도
오돌오돌 떨면서 하늘을 원망하고 있는데

그러고 보니 나와는 정반대로
너희는 여름에 주섬주섬 차려입고
추운 겨울에는 다 벗어 버렸구나

온몸에 실 한오라기도 걸치지 않은 너는
신의 손이 어루만져 겨울 햇볕에 찬란히 빛나니
여름날 성장盛裝했을 때보다 늠름하고
빛나는 몸으로 서 있구나

나목은 새로운 삶을 불태우는 열정이요
인고의 날들 새겨가는 과정일지니
두꺼운 솜옷 껴입었어도 추운 것은
내 마음이 헐벗어서이거늘
어찌 나목을 보고 헐벗었다 하겠는가!

바람 부는 날 나뭇잎 룽다風馬

겨울 깡마른 몸에 살점이 돋아
날이 따뜻해질 즈음 몸은 다시 살아나
인내의 계절을 산다

발가락 끊어질 것 같은 북풍한설 이겨내면
때로는 감로수 같은 비 받아마시고
허구한 날 내리쬐는 햇볕에 단련되어
견디어낼수록 몸은 잎으로 풍성해지니

살아온 날들의 고통과
때로는 기쁨의 순간들을
이파리에 또박또박 새겨넣은 것이
그 자체 진리의 경전과도 같구나

바람이 불 때마다
고목에 붙은 이파리가 파르르
몸이 떨듯 펄럭이는 것은
깨닫는 순간 희열의 표현이라

마치 히말라야 룽다에 새긴 간절한 소망과
진리의 말씀이 바람에 날리는 것처럼
나뭇잎 룽다에 새긴 오방색 희로애락을
고목이 하늘로 날려 보내는 것 같다네

바람 부니 나도 그 나뭇잎 한 장에
내 견뎌온 삶의 노래 한 소절과 소망 하나 새겨
하늘로 날려보리. 푸르게,

봄비 오는 날

아침에 일어나
설렁설렁 한 뼘 남짓한
텃밭을 거닐다가 눈에 띈
파릇하니 솟아난 풋것, 여기저기
제일 먼저 겨울 밟고 올라선 개망초

나도 모르게 봄것의 유혹에 빠져
자연스럽게 텃밭 언저리 돌며 호미로
개망초 나물 캐서는 다듬는데 갑자기
봄비가 후두둑 소리를 내며 귓바퀴를 더듬는다

나는 천연덕스럽게 앉아 봄비 맞으며
내쳐 다듬던 나물을 마저 다듬어서
살짝 데쳐 엄마 된장에 무쳤다 된장에만
무쳐낸 봄나물 반찬 한 가지로도
세상 다 가진 것 같은 것은
엄마 맛 그리고 봄 향기 때문이런가
무친 나물 입에 넣어 씹으니

먼 곳에서부터 스며오듯 향긋한 그 마음
봄비처럼 내 몸에 흘러내리네

봄은 혀끝에 오는 미각도 달게 만들어
까칠했던 내 얼굴 윤기 나게 하고
봄비가 엄마 손처럼 만물을 어루만지면
숲은 갓난아이 뽀얀 피부처럼 피어날 것이다

사과꽃

산골에 내려와 사과나무 한 그루 심어 꽃을 보자 하였더니 과연 심은 지 4년이 지나 흐드러졌다.

만개한 사과꽃에 만족하던 내게 한 귀촌 선배가 충고 아닌 충고를 하고 돌아갔다. 사과꽃은 한 꼬투리에 5개가 모여 피는데, 튼실한 한 개만 남기고 모두 따주어야 한다는 것. 그것도 한 가지에 두서너 개의 사과만 열리게 해야 상품성 있는 사과를 얻을 수 있단다.

그때부터 고민에 빠졌다. 애초에 생각했던 사과꽃을 보고 만족할 것인가, 굵고 보기 좋은 사과까지 얻을 것인가? 그러나 둘 다 얻을 수는 없는 법. 이웃 사람 모두 꽃을 따내는 무언의 압박에 못 이겨 나도 꽃을 따는 대열에 합류하고 말았다. 애초 꽃만 보자던 생각은 사라졌다. 나는 전지전능한 신이 된 것처럼 내 마음대로 선택하여 세상에 나온 목숨들, 어떤 것은 살리고, 또 어떤 것은 꽃 모가지를 분질러 버렸다. 꽃을 따는 동안 내 손이 신과 닿아 있다는 착각을 한다.

꽃을 한 번 따기가 어렵지 일단 따기 시작하자 내 손은 거침이 없었고 재빠르게 놀렸다. 내 손이 움직일수록 사과나무 아래에 죽음이 수북하게 쌓여갔다. 파멸을 가져오는 불길한 내 손, 신에게는 살림의 의무는 있을지언정 죽일 권리는 없어야 한다.

나는 도대체 누구란 말인가?
욕심은 나를 참담하게 만든다.

돌나물

마당 한 귀퉁이
자갈 틈에서
돌나물 한 줄기 벋길래
순전히 내 마음 애처로워
옮겨다 철쭉나무
밑에 심었다

살아날 거라
기대치 않아 잊었건만
두어 해 지나 언뜻 보니
철쭉나무 아래 이끼 덮듯
푸르름이 무성해졌다

누구 하나 돌보지 않아도
그늘 속에서 잘 자라난 돌나물
삐죽이는 순 따서
초고추장에 무쳐 먹다가 문득

돌나물처럼 살아야지
아무도 돌아보지 않는 그늘 속에서도
자기 스스로는 칼끝처럼 닦아 세우고
누군가에게는 맛있는 존재가 되는 것
그것이 덕德 있는 돌나물의 삶
담백하고 맛 나는 인생 아닐까?

계단을 오를 때마다

계단을 오를 때마다
계단은 권위와 권력을 상징한다는
어느 유명한 건축학 교수의 말이 떠오른다

절도 그렇고
교회, 성당이 또 그렇고
내가 다녔던 대학 높은 계단도 그렇고
웅장한 건축물일수록
권력기관일수록 예외 없이
계단이 높았구나!

거기에 사람의 마음이 투영되어 있음을 알았다
계단을 오를 때마다 목발을 짚고
한 계단 한 계단 오르는 것이
그래서 그리 힘들었구나!

하지만 계단 오르는 것 힘든 줄만 알았지
내 마음속 계단은 허물지 못했으니

내 어찌 계단 오르는 어려움을 하소연하며
세상에 어김없이 놓인 높은 계단만을 탓하랴!
내 마음속에 가로놓인 계단부터 허물어야 함을

왁자지껄

여름날 산속의
매미 소리
왁자지껄

내 어릴 적
골목길 아이들
왁자지껄
이른 아침부터
천진난만 떠드는 소리
엄마가 밥 먹으라고 부르면
골목 안이 조용해졌는데

여름날 산속의
왁자지껄 소리는
그칠 줄 모르네

본래 우주의 뜻은
질서 없는 왁자지껄

내 목소리 거기에 보탤 필요 없겠지

가을의 소리

가을날 숲속에서
자기의 숨소리도 잠시 버리고
가만히 앉아 귀 기울여 보라

나무가 잎 떨구며 몸을 비우는 소리
떨어지며 나뭇가지에 부딪히는 소리
땅에 내려앉아 구르는 소리
소곤소곤 말 거는 소리 들리지 않는가?

생을 다한 잎새가
바람에 날리며 떨어지니
가벼운 줄 알지만

바람에 날리는 나뭇잎처럼
이리저리 흔들리며 살다가
머리카락 희끗희끗해질 무렵 돌아보니
그래도 땅에 뿌리박고 산
당신의 삶이 아름답다고 느끼면

최선을 다하고 떨어지는 갈잎처럼
당신의 삶도 그리했다고
스스로 뿌듯해해도 되겠다 싶네

가만히 귀 기울여
가을의 소리 들어보라
거기 이제 비워지는
삶의 무게가 있느니

해의 운행

강원도 산골에 이사와 서쪽 산 능선 넘어가는 해의 운행을
지켜봤다

산 능선을 따라 동지에서 하지까지 해는 남에서 북으로
횡행하고
하지에서 동지가 가까울수록 해는 반대로 북에서 남으로
횡행하며
매일 경전을 읽어주고 내게 깨달았냐고 묻듯
마지막 밝은 빛을 잠시 잠깐 남겨두고 검붉은 서산으로
넘어간다

해는 봄에서 겨울을 주기로 매년 반복하며 내게 말하지만
내 가는 길은 단 한 번밖에 운행할 수 없다는 것을 알
뿐이다

나 ^我

세상에 처음 나와서
부모를 만나 본능에 충실한
생존을 배우고

사람들 속에 나아가서는
순종하는 법과 살아남는 지식을
사람 선생에게서 배우고

스스로 책임져야 하는 두려운
세속에 발 디디고 나서는
오직 돈 세는 법을 잘 배워
일생을 돈만 세다 늙는 것을
최고의 배움이라 여기지만

어느 날 허기진 삶이 하도 애달파
살아보니, 나 스스로 공허하여
그런 배움 모두 쓸모없더구나!

이제 구르는 돌멩이에서 배우고
대지에 뿌리박은 나무에서 배우고
스치는 바람에게 배우고 나서
나를 다시 찾기 시작하니
또다시 사람에게 돌아오는구나!

벌거벗겨진 나를 들여다보고
그리하여 나를 알게 되면
부끄러움도 세상의 지혜도 다 그곳에 있음을
모든 배움은 다시 나 자신에서
비롯된다는 것을 알았네

제3부

꽃길

혼히들 덕담으로
"꽃길만 걸으세요."라고 말한다
가만히 생각해 보면 이 말처럼 모욕적인 말이 있을까?

그늘 속 풀 우거진 틈에서 키만 커진 범부채가
어느 날 서로 기대고 살던 잡풀을 뽑았더니
갑자기 쏟아져 들어온 햇볕을 받고
꽃대궁 하나 지탱할 수 없는 허약함으로
땅바닥에 쓰러지고 말았다

자작나무 숲속에 나무들이 우후죽순 자라
햇볕 바라기로 길게만 자란 나무는
어느 밤 무서운 폭풍우가 불어닥쳤을 때
이리저리 흔들리다 견디지 못한 가느다란 나무는
허리가 뚝 꺾여 생을 다했다

너른 들판에 혼자 서 있는 소나무를 보라
어떤 뙤약볕과 폭풍우에도 굽은 허리일지언정

굳건히 버티고 있지 아니한가!

꽃길만 걷던 사람은 그늘 속에 살던 범부채와
숲속에 살던 자작나무와 다를 것이 있을까?
그러니 제발 '꽃길만 걸으세요'라고 말하지 말라
그 앞에 놓인 시련을 즐기라 하라
들판의 소나무처럼 살라 하라!

화두
—지게꾼 임기종 씨

지게꾼 임기종 씨는 지게를 지고
설악산 오르내리기를 평생 계속하고 있다
그는 말하기를
"지게가 나를 살려주고 지게와 함께
내 삶을 지탱해왔으니 지게는 내 인생 자체죠
산양이 험한 암벽 타고 다니는데
제 인생살이와 다름이 없더라고요
나도 평생 바윗길 타고 다녔거든요"
임기종 씨는 한눈 한번 팔지 않고 평생을
설악산 오르내리는 지게꾼으로 살다가
누구도 흉내 낼 수 없는 지혜로운 자가 되었다
사람은 저마다 평생 붙들고 있는 화두가 있을 터
그것은 그냥 얻어지지는 않을 것
평범하고 우직한 삶을 평생 끌고 가던 사람에게
어느 순간 선물처럼 다가온 개안開眼은 아닐까?

멸종 위기

마다가스카르에
포사라는 동물이 섬 전체에 살았었다 한다
포사는 마다가스카르에 사는 최상위 포식자,
지구상의 유일종이다
섬에 인구가 늘어나고 포사는 멸종 위기종으로 몰렸다

지구상의 최상위 군림종
그 절대적 군림으로 인해 모든 것을
멸종 위기로 모는 유일한 존재 인간
그 절대적 군림으로 인해
종국에는 그 스스로 멸종 위기에 처할 것
마다가스카르에 포사의 운명이 우리의 운명

빈집

주인 잃은
털 긴 삽살개가
헝클어지고 떡 진 머리로
웅크리고 누워
멍하니 먼 산 보는데
긴 털 눈빛도 가려
무슨 생각하는지 알 길이 없지만
먼저 간 주인이 그리워
훌쩍이고 있는 모습
덕지덕지 붙어 있을 삶의 흔적
살 냄새 풍기는 그리움
코끝 혹 스치는 흙 내음 모두
굴뚝 연기 산 너머 사라지듯 가버렸기에
곧 무너져 내릴듯한 힘겨움에
안간힘으로 버틸 기력도 없어
울 힘도 쇠잔해버린
어느 발길 끊어진
빈집

빈집 2

육십 년 후 한국 소나무숲 15% 사라진다
인구 절벽, 지방 소멸 진입 단계
지도에 빨간색 경고 선명하다

그런 곳에 나는 산다

그렇게 위기를 말로만 할 때
산골에는 허리 구부러진 할머니들만 살다가
머지않아 그들도 산으로 가고

소나무가 사라지기 훨씬 전에
썩은 서까래만
공룡의 갈비뼈처럼 남은 빈집
하나둘 여기저기 외딴 섬처럼 남아

사람이 먼저 집을 비우고
소나무도 산을 비울 것이다

그깟 소나무 죽는다고 먼저 걱정하지 마라
사람 없는 빈 곳에 소나무도 살기 싫을 것이니

습설濕雪에 소나무 가지 뚝뚝 부러져 나가듯
빈집에 눈이 쌓이면
빈집도 폭삭 무너져 버릴 것 같아
빈집을 바라보는 사람 가슴 조마조마해지니

사람이 사라져가는 곳에 나는 산다

빈집 3
—대미동길 112–6

대미동길 112–6, 까만 기와에 흙집, 할머니 살 때는 가끔 주말마다 자손들 자동차가 보이고, 명절 때는 마당 안팎이 북적였다. 자동차 대수 세어보며 저 집 자손이 몇인지 속으로 헤아려도 보았다.

어느 날부터 거동이 불편해진 할머니가 도시 사는 자식네 집 다니러 간 이후로는 어쩌다 간간이 할머니와 자식이 내려와 텃밭을 만지더니, 언젠가부터는 아예 사람 그림자도 어른거리지 않았다. 아마도 자식네 다니러 간 할머니는 영 돌아오지 못할 길로 가셨을지 모른다.

한 해 두 해 사람 발길이 끊어지니 흙집은 내팽개쳐 뒹구는 낡은 검정 고무신처럼 남루해지고, 마당은 흙집과 키를 재듯 자란 풀로 덮였다. 빈집을 지날 때마다 다북쑥 자란 무덤을 보듯 흠칫거리며 뒤돌아보는 버릇도 할머니가 사라진 후부터다.

낡은 대문에 자물쇠 채워진 후로는 영영 할머니가 돌아오지 않았고, 다시는 자식들까지도 돌아오지 않았다. 빈집은 그렇게 하나둘 생겨나고 산골의 삶도 사라진다.

부리를 씻는다

겨울비 내린다

어치 한 마리가
겨울나무 가지에 날아와
슬쩍 앉더니

무엇을 잡아먹고 왔는지
나뭇가지에 문대어
부리를 씻는다

아무 일 없는 듯이
훌쩍 날아가
나뭇가지에는 흔적도 없다

매서운 바람이
가지를 흔든다

삶이다

장작

산골의 집 처마 밑에
빈 곳 하나 없이
장작이 쌓여 있을 때는
영락없이 그 집엔 할머니 혼자다

죽음을 예감한 노쇠한 남편은
마지막 사랑의 징표로
장작을 하나씩 쌓을 때마다
혼자 남겨질 늙은 아내 생각에
걱정을 산더미처럼 쌓아놓고
그예 하늘길로 떠났다

남겨진 늙은 아내는
남편의 유품인 장작을 아궁이에
하나씩 던져 태울 때마다
함께 했던 추억도 하나씩
새록새록 불러냈다간
메마른 눈물방울마저

장작불에 태워 버린다

여보, 잘 기다리고 있으시오
내 금방 가리다
아궁이 장작불 꺼질 때쯤
당신을 보러 가리다

꽃과 뱀 2
―혐오에 대하여

어느 날부터인가 아침마다 밖에 나가 뜰을 살피는 일과가
생겼습니다. 지난해 어느 때부터 우리 집에 들어와 살던
뱀이 석축 바위틈 사이에 터 잡기 시작하면서 나와 숨바꼭질
하는 것입니다. 뱀의 행동은 너무도 은밀해서 인기척이
없는 아침에만 햇볕 바라기를 하려고 나와 똬리를 틀고
있는 경우가 많습니다. 또 어느 때는 꽃밭에 꽃들이 흐드러지
게 핀 아래 음습한 곳을 아무도 모르게 미끄러지듯 움직이는
모습을 발견하기도 합니다.

뱀은 자기를 은밀히 지켜보는 존재를 인식하지 못할지
모릅니다. 뱀은 그냥 그 굴속이 편안하고, 이따금 굴을 나와
서 젖은 체온 올리기 위해 햇볕 쬐고, 다람쥐나 산쥐 사냥하
고, 때로는 새알을 훔쳐먹으며 사는 이곳이 어느 곳보다
안전하다고 생각했을 것입니다. 그러고 보니 몇 해 동안
같이 살던 다람쥐 일가가 눈에 띄지 않으니 아마도 저놈에게
잡아먹혔거나, 피해서 둥지를 옮겼을지 모릅니다. 숲속도
아닌 이곳이 제 딴에는 마음에 들어 저리 머물러 있지요.

그러나 나와 그는 같은 공간에 산다는 이유 하나만으로 서로 근원을 알 수 없는 증오와 혐오 관계가 형성됩니다. 아니, 나 혼자 가지는 감정이겠지요. 뱀의 저 길쭉한 몸놀림과 혀 날름거리는 모습에 무조건 혐오감을 드러내고, 아무 해도 주지 않는 은밀한 행동임에도 알 수 없는 공포감에 몸을 떱니다. 아니 내가 태어나기 전부터 머릿속에 주입되어 작동되고 있는 지독한 편견일지 모르겠습니다.

나는 같은 공간에서 저놈 보는 것을 몹시 못 견뎌 합니다. 아침마다 뱀을 몰래 지켜보며 저걸 죽여야 좋은지, 아니면 그냥 살려서 내쫓아야 할지, 그도 아니면 모른 척 같이 살아야 할지 갈등합니다. 소리 요란한 개울물만큼이나 마음 가벼운 사람과 달리 뱀은 소슬한 바람의 움직임처럼 평온하기만 한데 말입니다.

경계를 달리하는 타자에 대하여 혐오하는 감정의 싹은 밑도 끝도 없이 생겨납니다. 하물며 인간은 타인에 대하여는 더 격렬합니다. 본디 하늘은 불인不仁*하여서 구별하지 않으니 차별도 하지 않거늘 사람은 어찌하여 작든 크든 누구나 가슴속에 구별하고 차별하는 마음의 씨가 자리 잡고 있는지요? 나는 꽃들 아래 숨어 사는 뱀을 몰래 응시하며, 평온함이 사라진 마음의 갈등으로 일상이 불편합니다. 혐오의 근원이 다른 곳이 아닌 내 마음속에도 엄연히 자리 잡고 있으니까요. 어쩌면 그가 이곳의 주인일진데, 내가 강자라는 이유만으로 배제하고 억압하려 듭니다. 오욕의 역사가 이곳에도 있습니다. 내 마음에 연민이 살아나야 합니다. 그래야 저 뱀과 함께 살 수 있으니까요. 혐오를 극복하는 길은 '우리'라는 말속에 있을지 모릅니다.

* 不仁: 노자 『도덕경』 5장에 나오는 구절.

단풍처럼 지고 싶으냐?

단풍처럼 지고 싶으냐?

여름날 파랗게 밀려오는 파도처럼 무섭다가
붉게 꽃 피우고도 그 기세를 어쩌지 못해
머뭇거리고 있는 단풍의 주저함

단풍이 있기까지는 애끓는 마음들 켜켜이 쌓아두었던
것
단풍이 떨어지는 건 돌아갈 곳 알아
이제 하늘의 문 닫는 것이니

단풍처럼 지고 싶으면
붉게 물든 그 순간 팽팽한 실 단칼에 끊어버리듯
미련 두는 마음 놓아버리는 용기가 있으면 된다

족도리풀과 애호랑나비
―以天食天*

족도리풀 잎 뒤에 낳아 놓은 애호랑나비 알
애호랑나비는 족도리풀 잎에 알을 낳아 알에서 깨어난
애벌레는 족도리풀 잎을 먹고 성충이 된다

큰광대노린재가 회양목 잎을 먹고 살고
검정황나꼬리박각시 애벌레가 인동덩굴 잎을
먹고 사는 관계와 같다

숲에는 이렇게 특별한 관계를 맺고
의존하며 사는 그물 같은 먹이 사슬이 있다
그러나 그들은 서로를 착취하지 않는다
일방적 착취는 자기 목숨도 위협하기 때문이다

남의 생명을 먹고 먹히는 관계가
어찌 보면 잔인한 것 같지만
서로에게 말없이 허용하는 관용이다
자기 생명을 주는 것이니
거기에는 반드시 높은 절제의 도리가 필요하다

서로가 지키는 예의이다

그것은 모든 생명을 존중하라는 의미다

숲은 그렇게 평온을 유지한다

---

* 以天食天: 해월 선생님의 법설, 「한울로써 한울을 먹는다」 편에 이런 가르침이 있다.
"~ 만일 한울 전체로 본다 하면 한울이 한울 전체를 키우기 위하여 同質이 된 자는
相互扶助로써 서로 氣化를 이루게 하고, 異質이 된 자는 以天食天으로써 서로 氣化를
통하게 하는 것이니 ~"

풀

깨풀, 괭이밥, 바랭이, 명아주, 장구채, 제비꽃, 땅빈대
그 외 이름 모르는 풀들

자갈 깔아 놓아 척박하기 이를 데 없는 곳
우리 마당에 자라는 풀들

해마다, 풀이 자랄 때마다 풀을 뽑고, 뽑아도
해를 더할수록 마당에 더 늘어만 가는 풀들

아무리 뽑아 없애도 씨 하나 떨어지거나
뿌리 하나만 있어도 다시 살아나는 풀들

내가 있어도, 언젠가 없어져도 상관없이
우리 마당에 끝까지 살아남을 풀들

때로는 비루해도, 보이지 않는 역사여도
이 땅에 끝까지 살아남는 자가 이기는 것

희망은 살아내는 자의 전유물
끝까지 살아남는 자가 꿈도 꾸는 것이다

멈춰서 사랑하라

나무는 봄부터 가을까지
푸른 잎을 피우고 하늘을 바라보다가
겨울 되면 스스로 알아 침묵하여
잠시 멈추며 쌓은 생각의 고갱이를
견고한 나이테 하나로 나타낸다

풀은 무성한 잎을 키워
땅을 푸른 이불로 덮다가
겨울 되면 스스로 알아 스러져
차가운 땅에 몸을 누이고 뿌리는
잠시 땅속에 멈추며 쌓은 고뇌의 실타래를
일시에 풀어헤칠 기회를 엿본다

물은 낮은 곳으로 끊임없이
소리 내어 흐르는 것 같아도
바위에 부딪히고 때로는 벽이 된 땅을 무너뜨려
흐르고 흐르다가 넓은 바다에 다다르면
잠시 멈추어 지나온 여정 되돌아보는 시간이니

온 우주 만물에 잠시 멈추지 않는 것은 없다

미혹한 욕망에 사로잡혀 잠시도
멈추지 않고 축적해야 하는 유일한 존재
멈추지 못하고 지나온 인간의 길엔 상처 깊으니
코로나19는 어쩌면 인류에게 보내는 멈춤의 신호
멈춰서 지나온 길 되돌아보라는 경고
하지만 그들에게 코로나19는 또 다른 욕망의
퇴적층을 더해가는 기회일 뿐

나무와 풀과 물이 언제까지 인내할 것인가?
잠시 멈춰라. 죽음으로 직진하는 당신들의 길에서,
당신들의 바깥, 당신들의 너머에 있는 사람을 보라
당신들의 바깥, 당신들의 너머에 있는 생명을 보라
그리고 당신의 마음속을 들여다보라
얽혀 있는 관계 아닌 것이 없다
이제 멈춰서 다른 방식의 사랑을 하라
살려야 한다

민물매운탕

내가 사는 마을에 민물매운탕집이 있습니다. 새로 생긴 집입니다. 민물매운탕을 평소 좋아해서 가보고 싶었지만, 맛을 내기가 쉽지 않은 것이 민물매운탕입니다. 민물매운탕은 양념을 잘 만들지 않으면 비린내가 난다든지, 간을 못 맞춰 짜거나 싱거워지기 쉽습니다. 그래서 선뜻 나서지 못했습니다.

어느 날 이웃 친구가 매운탕 잘하는 집이 있다고 해서 방문했는데, 그 집이었습니다. 처음 방문해서 빠가매운탕을 시켰는데, 70은 훨씬 넘어 보이는 주인장은 은근히 자기 솜씨를 자랑하며 매운탕을 끓여 내왔지요. 맛을 보니 국물맛은 감칠맛이 있었지만 좀 짜다고 느꼈습니다. 주인은 처음 찾아온 고객에게 인정받고 싶었는지, 옆에 다가와 맛이 어떠냐고 답을 강요하듯 채근했습니다. 맛있다는 한마디 말 듣고 싶었던 것입니다. 하지만 주인을 실망시킬 수 없었지요. 맛이 훌륭하다고 말했습니다. 그제야 안심한 듯 주인은 주방으로 들어갔습니다.

우연한 기회에 내 집에 친구가 찾아와 그 집으로 안내해서 메기매운탕을 시켰습니다. 또 짤 것이라 지레짐작하고 맛을 보았습니다. 건너편 친구도 맛을 보았지요. 둘은 맛이 괜찮냐는 듯 눈을 마주쳤습니다. 내가 싱겁다는 눈치를 보냈습니다. 그러자 그 친구는 대수롭지 않다는 듯, "매운탕은 좀 싱거워야 맞아. 그래야 끓이면서 먹다 보면 더 맛있어지거든." 그 소리를 들었는지 못 들었는지 주인은 주방에서 손만 분주합니다.

아하, 매운탕은 싱거워야 끓일수록 맛있어지는구나!
사람도 처음에 만났을 때는 싱거운 사람이다가 지내볼수록 진국인 사람이 있습니다. 싱거운 매운탕 같은 사람입니다. 사람도 오래 지켜봐야 그의 진가를 알아볼 수 있듯이 처음에는 싱거워도 자기를 끓임없이 단련하는 사람은 진실한 사람이 될 것입니다. 마음의 여유를 가지고 기다려줄 줄 아는 친구 같은 사람이 그럴 것입니다.

그 말을 듣고 보니 매운탕 맛이 시간을 더할수록 점점

더 감칠맛 있어지더군요.

한파주의보

2021년 10월 어느 가을,
난데없는 때 이른 한파로
단풍 들지 않은 푸른 잎들 비명횡사

원인 없는 결과 없듯이
난데없는 것이 아니다

인간이 쌓은 죄업 때문이니
나뭇잎만이 아니라 다음에 누가 비명횡사할지?
두려움에 오들오들 떤다

제4부

부는 바람

태풍이 머언 남쪽 바다에서 올라왔다
무지막지한 비바람이 옆구리를 때리고 얼굴을 할퀸다
숲속의 자작나무 이리저리 휘면서 부러질 듯하지만
비명 한번 지르지 않는다
요란한 소리는 부는 바람뿐
바람은 순간 지나쳐 가지만
뿌리 박은 자작나무는 의연히 서서 말이 없다
바람은 세상의 떠도는 말과 같다
뿌리 없는 헛된 말
내 시詩는 바람일까?
자작나무일까?

겨울 준비 품앗이하는 날

산속에 들어와 산 지 6년
겨울이 견디기 어려워
집집이 난로에 화목을 땐다

김장도 겨울 준비지만
화목 준비하는 것도 겨울 준비
집집이 돌아가며 화목을 자르고
장작 패는 일 돕는다

난로에 통나무 넣어 태울 때도
한 개만 넣어 놓으면 오래지 않아 꺼지고
두서너 개 같이 넣어 태워야 꺼지지 않고 타듯이

사람 사는 곳 무슨 일이든
손 하나 보태면 덜 힘들고
서로 돕고 살아야 행복한 법
품앗이는 사람이 사는 곳 잉걸불 같은 것
깊은 강물처럼 소리 없이 흐르며

힘을 북돋아 주는 따뜻한 에너지 같은 것

도끼질하는 손에 힘이 들어가고
넘쳐나는 웃음에 대미산도 빙긋

가을, 사마귀

가을,
사마귀
출몰하는 때

갈잎이나
마당 구석 여기저기
심지어 방충망에도 붙어 달려

날카로운 앞다리 들고
가는 가을 햇살 잘라내 붙들어 두려는지
눈빛을 번뜩이며 덤벼드네

가을 햇살 짧아지는 만큼
암사마귀 배는 불러가고
몸 가누기 힘들어
가만히 앉아
몸속에서 자라는
다음 생 준비하는데

가을,
암사마귀 가만히 바라보는 나는
세월 너무 깊숙이 들어와 있어
시름만 깊어진다

백숙을 먹을 때

산속에
가족이나 친구들 찾아올 때
백숙을 끓여 대접할 때가 있다
산에 나는 음나무, 야생 오미자 덩굴 끊고
잔대 뿌리, 도라지 캐고
운이 좋으면 더덕 두어 뿌리 더 넣는다
무쇠솥에 불 지펴 정성껏 끓여 내놓는 백숙
온갖 산야초에 푹 삶아 만든 백숙을
커다란 쟁반에 내어놓으면
옹기종기 둘러앉은 사람들
김이 모락모락 나는 닭다리 보고 침을 삼킨다
그런데 백숙을 먹을 때마다 이런 사람 정해져 있더라
먹고 싶어 눈을 크게 뜨고 바라만 보는 사람들 속에
꼭 그 사람만이 먼저 손 내밀어
다리 찢어 남에게 건네주고
먹음직한 하얀 살 찢어 또 다른 사람에게 건네주며
먹는 모습 보고 웃음 짓는 사람
지켜보다 보면 남에게 먼저 손을 내밀어 주는 사람은

자기 입으로 먼저 가지 않고 닭다리 찢어
남에게 건네주는 사람이더라
난 언제 내 집을 찾아오는 벗들에게 먼저 손을 놀려
닭다리 찢어 나눠주며 흐뭇한 웃음 흘릴까?
백숙을 먹을 때 그런 사람 보면 항시
자식들 입성에 먼저 손을 놀리던
엄마 생각이 난다

복사꽃 아래에서

강원도 산골에 숨어든 해
동무가 복숭아를 들고 와 맛있게 먹고
씨를 텃밭에 버려두었는데 이듬해
싹이 돋았네 어린 복사나무
울타리 언저리에 옮겨심었지
여러 해 지나 드디어 복사꽃 흐드러졌어
볕이 좋았던가, 아니면 꽃에 홀렸던가?
꿀벌 잉잉거리는 복사꽃 아래
나도 모르게 철퍼덕 앉아 신발 벗어
옆에 가지런히 놓았네

살랑이는 봄바람 때문인지
복사꽃 발그레한 볼에 취한 것인지
봄볕 못 이기고 그만 선잠 들었네
어디서 본 듯 복사꽃 가지 사이 걸어 나오는 임
눈매 고운 버선코가 사뿐히 밟아오길래
반가운 마음 앞서 손 덥석 잡으려다
놀란 그 임 날리는 꽃잎처럼 발길 돌리니

쑥스러운 내 손 어디 둘 곳 없어라

짐짓 아무렇지 않은 척 눈길 피하여 노닐다가
복사꽃 가지 하나 꺾어 들고
산 아래 굽이진 동구밖길 내려다보니
막걸리 한 동이 등짐 지고 올라오는 벗 있어
반가운 마음 앞서 복사꽃 가지 흔드니
바람에 꽃잎 떨어져 흩날려 가더라

아! 내가 곡주와 더불어 벗 삼을 이 그립더니
광음의 순간에 꿈을 꾸었구나!
오늘은 동무에게 손 편지 한 장 날려야겠다
꿈 아닌 얼굴을 보자고,
주름 하나 더 늘기 전에 복사꽃 보러 오세
벗어 놓은 신발에 벌써 복사 꽃잎
소복이 쌓였다가 바람에 흩어지니
복사꽃 기다려주지 않는다네
동무여!

으르렁 으르렁
—천변에서 걷기 운동하다가

난데없는 봄비가
밤새도록 여름 장맛비 오듯
산과 들 적시더니
다음날 계곡물 독수리
발톱 세우고, 호랑이
사납게 포효하듯 울다가 웃네
으르렁 으르렁

겨우내 숨죽였음을
분풀이라도 하듯
폭포 아래 힘차게 몸 던져
산산이 부서졌다 다시 모이고
까짓 바윗돌 이제 힘 생겼으니
씩씩하게 타고 넘네
으르렁 으르렁

개울가에 제일 먼저 잠 깬
버드나무, 소리쟁이가 어린 풀들에게

어서 일어나 차가운 물에 세수하고
봄맞이 가자며 부르는 소리
앞서듯 뒤서듯 소리쳐 가네
으르렁 으르렁

천변을 걷는 나더러
힘내어 걸으라고
발걸음 재촉하듯
여울 물소리 내게 들으라며
수탉 벌떡 일어나 홰치듯이
요란하게 소리치네
으르렁 으르렁

으르렁거리는 소리에 장단 맞춰
내 목발 짚는 소리
지게 작대기 길바닥에 음표 찍듯
한 발 한 발 내딛느니 그럴듯한 악보 되고
봄을 몰아 떠나는 저 물소리

가슴속 희망 품은 활기찬 봄노래니
물소리 들으며 걷고 있는 나는
산과 들 봄의 소리 이놈 저놈 잡아다가
멋들어진 연주하도록
조화 부리는 지휘자라네
으르렁 으르렁

피와 칼과 눈물

이산하 시인의 시집 『악의 평범성』을 읽다가
피와 칼과 눈물이라는 단어가 떠올랐다
시인의 삶이 그의 시라는 생각이다

김남주의 『나의 칼 나의 피』가 그랬고,
백무산의 『만국의 노동자여』를 읽을 때도 그랬다
시가 목을 조르듯 짓눌렀고,
피와 칼과 눈물이 떠올랐다
동시대인으로서 죄스러웠다

내 시가 부끄러웠다
내 시는 가슴 떨림이 없다
내 삶이 그랬다

고욤나무의 추억

고욤나무를 아는가?

고향 언저리 밭둑가나 산기슭에
외롭게 서 있던 나무
고욤이라는 아주 작은 감이 열리는 나무

주렁주렁 달린 고욤이 익으면
열매를 따다가 어머니에게 가져갔고,
어머니는 작은 항아리에 갈무리해놓았다가
주전부리 없던 우리네 겨울에
삭아 엉겨 붙은 찐득찐득한 고욤을
밥주발에 조금씩 퍼 나누어 주었다
겨울 냉기에 숟가락으로 퍼먹는 고욤
다디단 고욤 맛에 지루한 겨울을 잊곤 했지

머리 굵어 고향 땅을 벗어나고부터
고욤나무를 쉽게 잊었네
작은 알맹이에 씨가 대부분인 고욤은

감나무에 밀려 베어지거나 고사하여
더는 우리 이웃에 남아 있지 않았어
고욤나무 그 이름 넉 자도
사람들 기억 속에서 사라져버렸지

고욤나무는 이제 추억 속에 살아 있을 뿐
어쩌면 점점 잊히고 사라질 수밖에 없는 존재
효용 가치 떨어지는 사람은 쉽게 도태되는
자본의 세상에 사는 시인의 운명과 닮았네

당신은 고욤나무를 기억하는가?

어머니는 늘
—思母曲

"내가 낳아 놓기만 했지
한 게 없어
즈이들이 잘 컸지"
어머니는 늘 당신이 한 게 없다고 말씀하신다

그러면서도 환갑이 넘은 아들에게
여전히 걱정된다며 하루가 멀다 전화하시는
어머니

"나는 항시 네 걱정뿐이다
다른 자식덜 걱정할 거 없는디
혼자 사는 니가 잘 끼려먹는지?
나가서 넘어져 어디 다치지나 않았는지?
그래서 이렇게 전화한다"

구순을 바라보는 연세에도
매양 걱정만 끼쳐드리는 자식놈 때문에

어머니는 늘 고향집에서 내게 거는
전화를 붙들고 노심초사다

자기를 한 번도 내세우지 않고
늘 자식들에게만 공을 돌리는 어머니
내가 산속에 들어가 혼자 사는 게 늘 걱정이신
어머니

엄마,
사랑해요

곡교천 버드나무숲
—思父曲

고향집에 갈 땐 항상
이끌려 가듯 곡교천*에 들른다네

곡교천엔 예전 그대로
버드나무 기인 머리 늘어뜨려
천변을 따라 그늘 드리우는데

거기 버드나무 아래 물 따라 흘러가는 세월
한시도 막아 세우지 못하고
마냥 흘려보내며 낚시 드리운 사람 있었지

아버지,
평생을 손가락 뼈마디 휘도록 흙일만 하다가
말년에서야 우연히 남이 건네준 낚싯대 들고
곡교천 버드나무 아래 매일같이 혼자 앉아서
무슨 생각을 하며 낚시 드리웠을까?

그때나 지금이나 천변의 버드나무 그대로인데
버드나무 아래 사람은 이미 멀리 떠난 지 오래
그래도 고향에 올 때마다 이끌리듯 곡교천에 들르는 것은
버드나무 아래 머물던 사람이 혹시나 앉아 있을까?
두리번거리며 찾아보기 위해서이고

아마도 아버지는 외로움 달래기 위해
그토록 곡교천 찾아 낚시 드리웠다고 생각하니
그때 왜 아버지에게 사랑한다는 말 한마디 하지 못했을까?
후회되고 후회되어 고향집에 올 때마다 이끌리듯
곡교천 버드나무숲 찾는 것은 지금이라도
버드나무 아래 혼자 낚시 드리운 사람에게
그 말 한마디 꼭 하고 싶어서인지 모른다

아버지,
사랑합니다!

* 곡교천 : 충남 천안과 아산을 거쳐 서해로 흘러드는 하천.

지상에 내린 별
—산마을 밤 풍경

산 아래 대미마을* 산 깊어 밤이 바삐 오니
어둑어둑 도둑놈 발짝처럼
어두운 그림자가 슬금슬금 찾아들어 올 때

등 굽은 마을 길 따라
이따금 가로등 켜지면 어느새
북두칠성 내려온 것처럼 별 반짝이고

큰 별빛 반짝이는 고샅 사이사이 흩어진 집집마다
희미한 사람의 불빛 하나둘 켜지니
지상에 놀러 온 별들이 도란도란 이야기하는 듯하지

밤 깊어갈수록 불빛 하나둘씩 꺼지면
별이 숨을 멎은 것처럼 암흑물질로 채워지고
밤새 불 밝히고 있는 가로등은 어둠 속 외로움이라

인생이 괴롭고 슬프거나 때로는
기쁘고 행복할 때 있었을 것이나 이제는

모든 일, 노여움일랑 내려놓고 고요히 안식하고 있으니

별 되어 지상에 내려온 저 착한 영혼들
바라보며 나도 잠시 멈추어서
어둠 속 지나온 날들 내 속에 있는 별을 들여다보네

* 대미마을 : 평창군 방림면 계촌2리, 대미산 자락에 있는 마을이라 해서 대미마을이다.

산속에 살므로

장마 끝나고 마당에 풀이 우북하여
이른 아침나절에 내가 좋아하는
Michael Hoppe의 음악을 틀어놓고
마당에 쪼그리고 앉아 풀을 뽑고 있었다

시간이 흐르는 줄 모르고 손을 놀리다가
어느 순간 음악이 뚝, 끊기면서
사위가 숨을 멎었다
앨범이 다 돌아간 모양이다

정적의 순간 지나니
동고비와 휘파람새 서로 소리 주고받고,
뻐꾸기 소리는 사이사이 넣는 추임새
바람 불어 나뭇잎 흔드는 박수 소리
가만히 눈을 감으니 그제야
산속 흐르는 친숙한 화음 모두 들린다
물 스미듯 내 몸을 적신다

사람이 만든 아름다운 음악이라도
산속에서는 소음에 불과하다는 것을 문득 깨닫는다
산속에 살므로

사람이 지은 아름다운 시라도
산속에서는 헛된 말일 수 있다는 것을 문득 깨닫는다
산속에 살므로

고라니 소리

여명처럼 조용한 겨울 산속에서 지옥의 개가
짖는 것처럼 오금 저리게 하는 고라니 소리
백 년 동안이나 숲을 묻어버릴 기세로 내리는
습설濕雪이 소나무 가지를 뚝뚝 부러뜨리고
나무 위에 쌓인 눈이 고라니 소리에 놀라 우수수 떨어지니
숲이 견딜 수 없는 몸살을 앓는다
나는 심상치 않은 겨울 소리에 몸을 한껏 움츠려
눈 맞고 서 있는 숲속 나무를 응시한다
어느새 나도 몸을 움직일 수 없는 숲의 나무가 되어
가지가 부러지고 고라니 소리에 부르르 몸을 떨며
눈 내리는 회색빛 하늘을 무연히 바라본다
해마다 이맘때면 깊은 골짜기에서 들리는 오싹한 소리
사실은 겨울 고독이 끝나고 있다고
숲속에 공개되는 신호 같은 것
이제 저 눈 그치면 녹은 물 흘러내리는
봄이 온다고 우짖는 고라니 소리

달맞이꽃

어쩌다 SNS 친구 목록을 살펴볼 때가 있다
거기 이미 세상에 없는 친구가 웃고 있다

그가 있는지 없는지도 모르며 잊고 지내다가
노란 달맞이꽃처럼 다른 친구들과 나란히
웃고 있는 사진을 보면,
젊은 날 함께 했던 추억의 그림이
몽글몽글 비눗방울에 맺혀 있다가
순식간에 터져 사라져버리는 것처럼
내 머릿속에서 사라질까 두렵구나!

긴 침묵 끝에
몇 번이고 지우려 해도 차마 지우지 못하니
당신은 그렇게 달밤에 달맞이꽃처럼
영원히 피어 있으라!

언젠가 나도 누군가의 눈에 달맞이꽃처럼 피어 있겠지

회심回心과 공경의 미학

김영호(문학평론가)

올해도 여지없이 작년 장마 때 우왕좌왕하던 정부의 행태가 반복되고 있다. 세계 10위권의 경제력과 체계적인 인프라를 갖추어 선진국 대열에 들어선 국가의 대응이라고는 볼 수 없는 일들이 되풀이되면서, 정부의 위기 대응 시스템에 대한 의구심이 제기되고 있다. 작년 10·29 이태원 참사 때에도, 4시간 전에 축제 참가자 밀집에 따른 사고 위험이 처음 접수된 이후 10여 건의 신고가 계속되었지만, 정부의 위기 대응 시스템은 제대로 작동되지 않은 채 정말 어이없고 믿을 수 없는 후진국형 대형 참사를 겪었다. 이로 인해 치안과 정보기술 시스템이 고도화된 대한민국의 위상이 크게 실추되었다. 그러나 그 사고의 원인에 대한 진실이

제대로 밝혀지지 않은 채 참사의 흔적을 지우기에 급급한 정부의 대응으로, 위기 대응 시스템에 대한 점검과 개선은 이루어지지 않았다. 그래서인가, 이번 청주시 오송 궁평 지하차도 차량 침수 참변에 대한 대응도 홍수 경보가 4시간 전에 발령되고, 2시간 전에는 차량 통제와 주민 대피 필요성을 유선으로 관할 구청에 통보했는데도 도로 통제가 이루어지지 않아 차량 침수와 인명 피해가 속출하고 있다.

돌이켜 보면, 작년 8월에도 서울 지역에 집중된 115년 만의 기록적인 폭우로 수도권이 엄청난 수해를 입었고, 같은 시기에 제주는 폭염으로 고통을 겪었다. 우리나라뿐 아니라 지구촌 곳곳이 극한적인 자연재해로 고통을 겪고 있다. 기록적인 폭염과 가뭄 그리고 홍수로 상상을 뛰어넘는 기상이변이 점차 일상이 되어가는 지금, 기후변화는 우리가 감내할 수 있는 임계점을 넘어서고 있다. 지구가 지금까지 겪은 다섯 차례의 대멸종에 이은 여섯 번째 대멸종이 가능하다는 기후재난 시나리오가 나올 정도이니 그 심각성을 알 만하다. 이렇듯 기후 위기의 위험을 몸으로 겪으며 기후변화에 대한 대응은 이제 회피할 수 없는 행동 과제가 되었다.

전 세계적인 기후 재앙의 원인은 단연 지구 온난화로 인한 기후 변화라 할 수 있다. 기후 변화에 관한 정부 간 패널IPCC은 오늘날 우리가 겪는 기후 변화는 화석 연료 기반의 산업활동에 의해 야기되었다고 지적하며, 지구의 온도를 산업화 이전보다 2도 이상 높이지 않도록 2010년에 합의했다. 하지만 이러한 공약이 대부분 구속력 없는 협약에 그치면서, 주요 탄소 배출국의 기후 변화 억제 행동은 미미하며 기후 변화의 직접적인 피해국인 개발도상국에 대한 배상 노력 또한 부진하다. 이렇게 각국이 온실가스 감축 행동에 소극적인 이유는 경제적 충격을 최소화하는 데에 역점을 둔 고도의 정치적 선택이기 때문이다.

이렇듯 기후가 모든 생명의 조건을 바꾸는 게 분명하다. 하지만 더 깊이 따져보면 기후 변화는 결국 탈규제 자본주의 체제가 가져온 것이다. 따라서 기후 변화가 자본 축적 과정의 필연적인 귀결이며, 부의 불평등 또한 자본주의가 근본 요인임을 알 수 있다. 결국 사회 경제 시스템의 근본적인 전환이 필요하다. 인간의 목적에 따라 자연을 착취하는 인간 중심적 산업 문명에서 벗어나 자연이나 뭇 생명과 평화롭게 공존하는 생명 중심적 생태 문명으로의 문명사적 전환이 없이는, 생태계 회복은 요원하다. 생태계 파괴는 화석 연료 기반의 산업 문명으로 발생했지만, 생태계 위기의 근본적인 원인은 산업화를 낳은 인간의 사고방식이나 인간 사회의 구조에 있기에 그렇다.

담헌 홍대용은, 지구를 비롯한 우주와의 교감을 잃어버린 인간을 우월적인 도덕적 존재로 규정한 조선 후기 성리학의 주류적 관점에서 벗어나, 인간은 우주 생명체의 일부로 아주 취약한 존재에 불과하다는 생태학적 관점을 제시한 실학자다. 그는 18세기 후반 『의산문답』에서, 인간은 거대한 지구 생명체에 기생하는 '벼룩'에 불과하며 다른 생물과 존재론적 차이가 없음을 지적한다.

> "대저 지구는 우주의 생명체다. 흙은 지구의 피부와 살이고, 물은 지구의 정액과 피이며, 비와 이슬은 지구의 눈물과 땀이고, 바람과 불은 지구의 혼백과 혈기이다. (…) 초목은 지구의 털과 머리카락이고, 사람과 짐승은 지구의 벼룩과 이이다."

인간의 이기적 탐욕과 선민의식 그리고 자신이 자연의 주인이라는 우월주의가 바로 생태계 파괴의 근본 원인임은 사실이다. 그러나 이런 이기적 탐욕의 사회적 뿌리는, 흔히 말하듯 1900년대의 산업 혁명 이후가 아니라, 16세기 영국의 석탄 혁명 이후, 값싼 노동력으로 캐낸 석탄을 값싼 에너지로 착취해 자본을 축적하는 과정에서 시작되었다고 한다. 그러니까 인간이 생태계 파괴의 주범이 된 것은 탐욕적인 자본주의 시스템에 바탕을 두고 있는 셈이다. 이렇듯 기후 위기의 근본 원인은 탄소보다 자본주의이므로, 탄소 제로 노력을 추동하는 원동력은 물질 만능과 성장 위주의 자본주의 시스템에서 벗어나, 자연과 인간이 화합하여 평화롭게 공존하는 공동체주의가 되어야 한다. 즉 자연의 일부인 본래 자리에서 벗어난 인간이 인간과 자연, 인간과 지구, 인간과 우주의 관계를 다시 연결해야 한다. 이렇게 잘못된 길에서 벗어나 우리 각자의 마음과 삶의 태도를 돌이키는 회심回心은, 영적으로 각성한 종교적 삶이라 할 수 있다. 종교religion의 라틴어 어원이 다시re 진리인 절대자와 연결ligare하는 것이며, 근원으로 돌아가 하나가 되는 것을 의미함을 보면 알 수 있다. 물론 이런 근원으로 돌아감의 전제는, 그간의 지구적, 우주적 교감을 잃어버리고 인간 중심주의의 오만함에 빠져 우리 삶의 기반인 자연을 착취의 도구로 삼은 잘못을 진심으로 뉘우치는 회심悔心이 선행되어야 한다는 점이다. 예수가 하나님나라를 선포하며 먼저 회개를 요구한 것이 그렇다. "이때부터 예수께서 비로소 전파하여 가라사대, 회개하라 천국이 가까왔느니라 하시더라(마태 4:17)." 예수가 말한 회개의 그리스어는 메타노이아metanoia다. 즉 지난날의 잘못된 생각meta을 뉘우치고 바꾸는noia 것이다. 단지 잘못을 멈추고 뉘우치는 데 그치지 않고, 영성과 인격이 하나 되는 하나님나라로 돌아가려는 끊임없는 자각과 실천으로 전환해야 한다는 점에서, 회심悔心은 결국 회심回心으로 진전되어야 한다. '메타노이아'에 해당하는 아람어 '타브tab'가 '회복하다, 돌아오다'를 뜻하듯이, 근원적 관계의 회복까지 이르러야 함이 분명하다.

농업 중심 사회에서 국가 주도의 산업 사회로 급격히 전환하면서, 이웃 나라의 원조를 받던 가난한 나라에서 단숨에 선진국으로 발돋움한 유일한 나라 대한민국, 그 눈부신 발전의 그늘에서 해체된 농촌을 떠나 대도시의 주변인으로, 또 산업 현장의 노동자로 저임금과 세계 최장의 노동 시간과 열악한 노동 여건을 견디며 오늘의 영광을 이룬 세대들의 상당수는, 이제 세계 최고의 노인 빈곤에 허덕이고 있다. 살인적인 경쟁에서 살아남기 위해 앞만 보며 일해 이룩한 고도성장은 우리 삶을 풍요롭고 편리하게 만들었지만, 자신이나 이웃을 돌아볼 마음의 여유를 잃어버리고, 더 많이 소유하는 성공을 위해 계속 자신을 소진하고 있다. 그 사이에 마음은 강퍅해지고 참된 기쁨과 안식을 누리지 못하고 있다. 이른바 부유한 나라가 되었으나 행복하지 않은 국민이 되어 버렸다. 더 높은 자리에서 더 많이 가지고 더 편하게 살기 위한 비정한 각축장에서, 건강 악화나 사업 실패로 쉼 없이 돌아가는 삶의 컨베이어 벨트에서 잠시 벗어나서야 비로소 피폐해진 자신을 발견하고, 비본질적인 것들이 본질을 억압해온 것을 느낀다.

해마다 거듭되는 기후 재앙에서 보듯, 홍수에 떠내려온 수많은 가구나 집기들, 산사태로 흙더미에 파묻힌 건물이나 가재도구들이 한순간에 쓰레기가 되는 것을 보면, 근본적인 의문이 들지 않는가. 자연재해 앞에서 금세 쓰레기가 돼 버리는 것들을, 더 새롭고 더 기능이 많은 신제품으로 바꾸기 위해 헐떡이며 달려온 것들이, 나를 얼마나 쓸모없게 만들었는가 하는 자문 말이다. 문득 이런 깨달음이 왔을 때 그간의 삶의 행태에서 벗어나 진정한 환대와 안식을 주는 터전으로 찾는 곳이 바로 자연이다. 살인적인 경쟁보다는 더불어 사는 공생이, 비정한 이윤 추구보다는 소박한 만족이, 편견보다는 너그러운 포용이, 쉼 없는 생산보다는 자연의 순환에 순응하는 절제가 가능한 그런 숲으로 훌쩍 떠나면, 비로소 새롭게 들리는 것들에 예민하게 반응하는 감각 기능을 되찾게 된다.

비 오는 소리 오랫동안 듣지 못했네
아파트 시멘트벽 속에 갇혀 있기도 했고 삶이
빗소리에 귀 기울일 여유가 없었는지 모르지
뭐 이룰 게 있다고 애면글면 살다가
문득 부질없다 느껴 훌쩍 떠나버렸네

언제든 찾아도 반갑게 받아줄 곳

마음의 안락과 여유가 있는 곳

이제 나무와 풀과 새와 함께 사니

내 귀가 다시 열렸네

내 어릴 적 처마 밑에서

낙숫물 소리 귀 기울이던 마음으로 돌아가니

이슬비 오는 소리

보슬비 오는 소리

소나기 소리

천둥 치며 폭우 쏟는 소리

모두 다 말 걸어오네

손에 움켜쥘수록 손에 쥔 것에 마음 빼앗겨

오시는 빗소리 듣지 못하리

                                          -「빗소리」 부분

  성장 위주의 산업 사회에서 비정한 경쟁 시스템에 나름
적응하느라 애쓰다가, 문득 자신을 쓸모없게 만드는 것들의
부질없음을 깨닫고 훌쩍 깊은 산골 마을인 강원도 대미산
자락에 들어가 '나무와 풀과 새와 함께' 살면서 '낙숫물
소리 귀 기울이던 마음으로 돌아가니' 비로소 다양한 빗소리
를 듣게 된 것이다. 60년대에 농촌에서 어린 시절을 보낸

사람들은 초가지붕의 처마 끝으로 방울져 떨어지는 낙숫물 소리에 귀 기울이며 '오시는' 빗소리를 들은 기억이 있을 것이다. 토방 아래로 떨어지는 낙숫물에, 채송화가 무리를 지어 예쁜 꽃망울을 터트리던 모습도 기억날 것이다. 무엇보다도 농사에 아주 소중한 비는 하늘이 주시는 것이기에 '오는' 것이 아니라 '오시는' 것이었다. 자연과 하늘과 사람이 하나로 교감하던 그런 삶의 태도가 농촌이 해체되고 대도시 중심의 산업 사회가 되면서 까마득히 잊힌 것인데, 시인이 대도시를 떠나 산골 마을에서 자연과 하나가 되니까, 우주와 유기체를 이루던 과거의 삶 — 천인합일天人合一의 삶이 되살아나면서 잡다한 소음으로 퇴화했던 청각이 되살아나게 된 것이다. 사실 살인적인 경쟁 시스템에 적응해 돈과 권력과 물건들을 많이 움켜쥘수록 욕망의 갈증은 더욱 심해진다. 이는 천인분리天人分離의 삶이 감각과 정신을 마비시킨 것인데, 다행히 시인은 이런 삶의 부질없음을 깨닫는 회심悔心을 거쳐 천인합일天人合一의 근원적 관계를 회복하는 회심回心에 이른다.

시인은 산골 마을의 숲속에 살면서 지금껏 세속적인 세상에서 배워온 배움이 욕망의 갈증을 가시게 하는 생수가 되지 못해, 늘 '허기진 삶'을 살아온 자신이 '하도 애달파'하다, 스스로 '공허하여' 숲에 들어와 '돌멩이와 나무와 바람'

에서 배우고 나서야 비로소 영적 존재인 자신을 찾기 시작한
다.

> 스스로 책임져야 하는 두려운
> 세속에 발 디디고 나서는
> 오직 돈 세는 법을 잘 배워
> 일생을 돈만 세다 늙는 것을
> 최고의 배움이라 여기지만
>
> 어느 날 허기진 삶이 하도 애달파
> 살아보니, 나 스스로 공허하여
> 그런 배움 모두 쓸모없더구나!
>
> 이제 구르는 돌멩이에서 배우고
> 대지에 뿌리박은 나무에서 배우고
> 스치는 바람에게 배우고 나서
> 나를 다시 찾기 시작하니
> 또다시 사람에게 돌아오는구나!

-「나我」 부분

시인은 배움이란 진정한 자아 성찰에서 오는 것임을 자연

에서 배우고 깨닫는다. 지금 우리가 겪고 있는 기후 재앙이나 그간 겪었던 사스나 코로나19 등 전염병의 창궐 등 위험 사회에서 벗어나는 길도, 결국은 개인의 의식과 삶의 태도를 바꾸는 회심에서 비롯된다. 시인의 말처럼 '또다시 사람에게 돌아오는 것'이다. 사회 구조나 문명의 전환도 그 출발은 개인의 각성과 회심에서 비롯되는 것이니, 변화된 개인이 모여 마침내 사회 구조와 문명의 전환을 이룰 수 있기 때문이다. 송곳이 날카롭고 작은 끝이 먼저 뚫고 들어가 큰 구멍을 내듯, 출발은 작은 일상의 구체적 삶에서 시작되어야 지속성을 가져 변화를 가져올 수가 있다.

시인의 이런 회심의 구체적 일상의 적용은 동학의 2대 교주 해월 선생의 3경 사상을 뒤집어 적용한 시 「敬경」에 잘 드러난다.

사람이 物물을 아끼고
사람을 사랑하면
하늘을 공경하는 것은
자명한 이치다

무더운 여름날 참나무
그늘에서 더위를 피하다가

고마운 마음에
나무를 안아줬다

나무를 안고 이파리 사이 하늘을 보다가
내 마음이 푸른 꿈꾸는 하늘처럼 고요해져서
세상 속에서 가져온 慾욕을 하나씩 덜어내고
나를 가만히 들여다보니 한층 자유로워져 있었다

―「敬경」 전문

해월 선생의 3경 사상은 경천敬天, 경인敬人, 경물敬物로, 흔히
순서대로 하늘을 공경하고, 이웃을 공경하고, 물건(자연)을
공경한다고 위계적 순서인 양 해석한다. 그러나 해월 선생의
말을 잘 새겨 보면 그 순서가 위계적 관계가 아닌 평등한
관계로, 하늘과 인간 그리고 자연이 일체적 생태계를 이루고
있음을 강조한다. "경천만 있고 경인과 경물이 없으면 이는
농사의 이치는 알되 실제로 종자를 땅에 뿌리지 않는 행위와
같으며, 사람이 사람을 공경함으로써 도덕의 극치가 되지
못하고, 나아가 물을 공경함에까지 이르러야 덕에 합일될
수 있느니라."라는 선생의 법설을 보면 알 수 있다. 해월
선생은 앞에서 살펴본 조선 후기 실학자 홍대용의 지구
공동체에 대한 인식을, 백 년 후에 회심을 통한 구체적인

실천 방안으로 또 영적인 각성을 통한 종교적 삶으로 승화시
켰다.

　동학의 동귀일체同歸一體의 가르침에 따르면, 하늘과 인간
그리고 자연의 삼재三才는 궁극적으로 지극히 거룩한 기운인
지기至氣에서 유래한 우주적 생명 공동체로 생명 그물망(인
드라망)을 이루고 있기에, 삼재는 존재론적으로 각기 독립
된 실체가 아니라 지극한 기운의 다른 모습이라서 결국
하나의 지극한 기운으로 돌아간다는 것이다. 따라서 자연物
을 공경하지 못하고서 사람을 공경한다고 함은 아직 도에
닿지 못한 것이라는 것이다. 동학의 존재론적 평등주의는
이렇게 인간뿐만 아니라 모든 존재와 사물로 확장된다.
모든 존재와 사물이 한울님을 모시고 지극한 기운으로 서로
연결되어 있기에 하늘과 인간 그리고 자연이 존재론적 본성
에 있어서는 똑같고 평등하다. 무엇보다도 존재의 위계를
버리고 가장 하위의 물질계와 자연을 공경할 수 있는 사람이
라야 진정으로 이웃을 공경할 수 있고, 이웃을 공경할 줄
알아야만 진정으로 하늘을 공경할 수 있다는 가르침이야말
로, 인간 중심의 우월 의식을 버리고 물질계와 조화로운
화합을 이루는 것이다. 이는 지금 인류가 처한 지구적 위험을
해소할 수 있는 근본적인 가르침이다. 시인은 해월 선생이
가르친 핵심을 잘 꿰뚫어 본 것이다. 그래서 '내'가 나무를

안고 가지 사이로 하늘을 보면서, 자연과 인간 그리고 하늘의 우주적 교감을 느끼며 진정한 마음의 자유를 느끼는 것이다.

시인이 이 시집에서 보이는 가장 큰 미덕은 자신을 둘러싼 자연의 섬세한 모습을 눈여겨보고, 작은 소리에도 귀 기울이는 자세와 그를 통한 자아 성찰에 있다. 하지만 시인은 자신의 시詩가 바람에 쓰러지지 않은 채 '뿌리 박은 자작나무'처럼 의연하지 못하고, '세상의 떠도는 말'처럼 바람이 되어 사라지지 않을까 걱정한다(「부는 바람」). 또 '자본의 세상'에서 '효용 가치가 떨어져' 도태되는 시인을, 감나무에 밀려 이름마저 사라져버린 고욤나무와 동일시한다(「고욤나무의 추억」). 하지만 감나무는 고욤나무 없이는 대를 이어갈 수 없다. 고욤나무를 밑나무로 해서 감나무 가지를 잘라다 접을 붙여야만, 고욤나무 엄마의 헌신적인 보살핌을 받아 튼실한 감나무로 거듭나게 된다. 따라서 감나무든 고욤나무든 또 바람과 자작나무든 다 나름의 존재 가치가 있고 또 감당하는 역할이 다를 뿐으로, 다 필요한 만큼 저마다 대등하게 존귀하다. 특히 이산하 시인이나 김남주 시인 그리고 백무산 시인처럼 거대 담론을 이끌며 한 시기를 앞장서 사람들의 가슴을 뛰게 한 시인들과 자신을 비교하며, 동시대인으로서의 죄스러움과 부끄러움을 고백한다. 자신의 시와 삶에는 그들처럼 가슴 떨림이 없다는 것이다(「피와 칼과

눈물」). 물론 그 시인들이 보여준 격정적 삶과 가슴을 뛰게
하는 시의 울림은 훌륭하고 또 본받을 만하다. 그러나 그들의
진취적 기상과 격정의 시도 그들과 함께하는 동지들과 시인
들이 없다면 빛을 발할 수 없다. 그들과 변경섭 시인은
다른 것이지 위계적 관계가 될 수 없다. 오히려 작은 존재와
기꺼이 눈높이를 맞추고 그들의 아름다움을 드러내 주는
시인의 삶과 시는, 모자람이 없이 소중하고 아름답다.

숲속 큰 나무들 밑
낙엽 더미 살짝 들어 올려
부끄러운 듯이
고개 숙여 피는 꽃

무릎 꿇고 앉아 고개 숙여
낙엽 더미 살짝 들어 올려
자세히 살펴야
볼 수 있는 꽃

나도
족도리풀꽃도
고개 숙여야 서로

알아볼 수 있는 것

비로소 존재의 의미를

서로 인정하는 것

-「족도리풀꽃」 전문

    잎에 가려진 채 땅 가까이 숨어서 피는, 족두리 모양의 작은 자주색 꽃. 시인은, 존재하지만 드러내지 않는 '족도리풀꽃'을 무릎을 꿇고 앉아 눈높이를 맞추어 자세히 살펴보고, 그 존재 의미를 서로 인정한다. 시인은 주변의 작은 꽃을 외면하지 않고 공경의 자세로 살펴보고 그 존재를 인정함으로 해서 서로 의미 있는 관계가 된다. 그 존재만으로 향기를 드러내는 것이 아니라, 삶의 자세와 태도를 통해 자신의 가치를 드러내는 것이다. 그의 시 「향기」에서 드러나듯, 무엇이 되느냐보다 어떻게 사느냐가 삶의 향기와 악취를 결정한다. 중국 진서晉書에 나오는 구절처럼 '유방백세 유취만년流芳百世 遺臭萬年'처럼, 향기 나는 이름을 백세에 풍길 것인가 아니면 악취 나는 오명을 만년에 남길 것인가는, 선으로 자취를 남기느냐 아니면 악으로 자취를 남기느냐의 차이일 것이다. 누군가에게 기꺼이 맛있는 존재가 되고자 하는 시인의 꿈과 다짐처럼 앞으로도 자연 공경을 통해 이웃을 공경하고 나아가 하늘을 공경하는 생태 평등주의를 일상에서 실천하며, 덕 있고 맛 나는 인생을 살아가길 빌며 응원한다.

> 돌나물처럼 살아야지
> 아무도 돌아보지 않는 그늘 속에서도
> 자기 스스로는 칼끝처럼 닦아 세우고
> 누군가에게는 맛있는 존재가 되는 것
> 그것이 덕德 있는 돌나물의 삶
> 담백하고 맛 나는 인생 아닐까?
>
> —「돌나물」 부분

다시 사람에게 묻다

초판 1쇄 발행 2023년 08월 24일

지은이 변경섭
펴낸이 조기조

펴낸곳 도서출판 b
등 록 2003년 2월 24일 (제2006-000054호)
주 소 08772 서울시 관악구 난곡로 288 남진빌딩 302호
전 화 02-6293-7070(대) 팩시밀리 02-6293-8080
누리집 b-book.co.kr 전자우편 bbooks@naver.com

ISBN 979-11-92986-09-8   03810
값_12,000원

* 이 책은 문화체육관광부, 한국장애인문화예술원의 후원을 받아
  2023년 장애예술 활성화 지원사업의 일환으로 발간되었습니다.
* 이 책 내용의 일부 또는 전부를 재사용하려면 저작권자와 도서
  출판 b 양측의 동의를 얻어야 합니다.
* 잘못된 책은 구입한 곳에서 교환해드립니다.